FOLIO CADET

Jean Giono

L'homme qui plantait des arbres

Illustré par Olivier Desvaux

GALLIMARD JEUNESSE

Pour que le caractère d'un être humain
dévoile des qualités vraiment exception-
nelles, il faut avoir la bonne fortune de
pouvoir observer son action pendant de
longues années. Si cette action est dépouil-
lée de tout égoïsme, si l'idée qui la dirige
est d'une générosité sans exemple, s'il est
absolument certain qu'elle n'a cherché de
récompense nulle part et qu'au surplus elle
ait laissé sur le monde des marques visibles,
on est alors, sans risque d'erreurs, devant
un caractère inoubliable.

Il y a environ une quarantaine d'années, je faisais une longue course à pied, sur des hauteurs absolument inconnues des touristes, dans cette très vieille région des Alpes qui pénètre en Provence.

Cette région est délimitée au sud-est et au sud par le cours moyen de la Durance, entre Sisteron et Mirabeau ; au nord par le cours supérieur de la Drôme, depuis sa source jusqu'à Die ; à l'ouest par les plaines du Comtat Venaissin et les contreforts du Mont-Ventoux. Elle comprend toute la partie nord du département des Basses-Alpes, le sud de la Drôme et une petite enclave du Vaucluse.

C'était, au moment où j'entrepris ma longue promenade dans ces déserts, des landes nues et monotones, vers 1 200 à 1 300 mètres d'altitude. Il n'y poussait que des lavandes sauvages.

Je traversais ce pays dans sa plus grande largeur et, après trois jours de marche, je me trouvais dans une désolation sans exemple. Je campais à côté d'un squelette de village abandonné. Je n'avais plus d'eau depuis la veille et il me fallait en trouver. Ces maisons agglomérées, quoique en ruine, comme un vieux nid de guêpes, me firent penser qu'il avait dû y avoir là, dans le temps, une fontaine ou un puits. Il y avait bien une fontaine, mais sèche. Les cinq à six maisons, sans toiture, rongées de vent et de pluie, la petite chapelle au clocher écroulé, étaient rangées comme le sont les maisons et les chapelles dans les villages vivants, mais toute vie avait disparu.

C'était un beau jour de juin avec grand soleil, mais, sur ces terres sans abri et hautes dans le ciel, le vent soufflait avec une brutalité insupportable. Ses grondements dans les carcasses des maisons étaient ceux d'un fauve dérangé dans son repas.

Il me fallut lever le camp. À cinq heures de marche de là, je n'avais toujours pas trouvé d'eau et rien ne pouvait me donner l'espoir d'en trouver. C'était partout la même sécheresse, les mêmes herbes ligneuses. Il me sembla apercevoir dans le lointain une petite silhouette noire, debout. Je la pris pour le tronc d'un arbre solitaire. À tout hasard, je me dirigeai vers elle. C'était un berger. Une trentaine de moutons couchés sur la terre brûlante se reposaient près de lui.

Il me fit boire à sa gourde et, un peu plus tard, il me conduisit à sa bergerie, dans une ondulation du plateau. Il tirait son eau, excellente, d'un trou naturel, très profond, au-dessus duquel il avait installé un treuil rudimentaire.

Cet homme parlait peu. C'est le fait des solitaires, mais on le sentait sûr de lui et confiant dans cette assurance. C'était insolite dans ce pays dépouillé de tout. Il n'habitait pas une cabane mais une vraie maison en pierre où l'on voyait très bien comment son travail personnel avait rapiécé la ruine qu'il avait trouvée là à son arrivée. Son toit était solide et étanche. Le vent qui le frappait faisait sur les tuiles le bruit de la mer sur les plages. Son ménage était en ordre, sa vaisselle lavée, son parquet balayé, son

fusil graissé ; sa soupe bouillait sur le feu. Je remarquai alors qu'il était aussi rasé de frais, que tous ses boutons étaient solidement cousus, que ses vêtements étaient reprisés avec le soin minutieux qui rend les reprises invisibles.

Il me fit partager sa soupe et, comme après je lui offrais ma blague à tabac, il me dit qu'il ne fumait pas. Son chien, silencieux comme lui, était bienveillant sans bassesse.

Il avait été entendu tout de suite que je passerais la nuit là ; le village le plus proche étant encore à plus d'une journée et demie de marche. Et, au surplus, je connaissais parfaitement le caractère des rares villages de cette région. Il y en a quatre ou cinq dispersés loin les uns des autres sur les flancs de ces hauteurs, dans les taillis de chênes blancs à la toute extrémité des routes carrossables.

Ils sont habités par des bûcherons qui font du charbon de bois. Ce sont des endroits où l'on vit mal. Les familles, serrées les

unes contre les autres dans ce climat qui est d'une rudesse excessive, aussi bien l'été que l'hiver, exaspèrent leur égoïsme en vase clos. L'ambition irraisonnée s'y démesure, dans le désir continu de s'échapper de cet endroit.

Les hommes vont porter leur charbon à la ville avec leurs camions, puis retournent. Les plus solides qualités craquent sous cette perpétuelle douche écossaise. Les femmes mijotent des rancœurs. Il y a concurrence sur tout, aussi bien pour la vente du charbon que pour le banc à l'église, pour les vertus qui se combattent entre elles, pour les vices qui se combattent entre eux et pour la mêlée générale des vices et des vertus, sans repos. Par là-dessus, le vent également sans repos irrite les nerfs. Il y a des épidémies de suicides et de nombreux cas de folies, presque toujours meurtrières.

Le berger qui ne fumait pas alla chercher un petit sac et déversa sur la table un tas de glands. Il se mit à les examiner l'un après l'autre avec beaucoup d'attention,

séparant les bons des mauvais. Je fumais
ma pipe.

Je me proposai pour l'aider. Il me dit que
c'était son affaire. En effet : voyant le soin
qu'il mettait à ce travail, je n'insistai pas. Ce
fut toute notre conversation. Quand il eut
du côté des bons un tas de glands assez gros,
il les compta par paquets de dix. Ce faisant,
il éliminait encore les petits fruits ou ceux
qui étaient légèrement fendillés, car il les

examinait de fort près. Quand il eut ainsi devant lui cent glands parfaits, il s'arrêta et nous allâmes nous coucher.

La société de cet homme donnait la paix. Je lui demandai le lendemain la permission de me reposer tout le jour chez lui. Il le trouva tout naturel, ou, plus exactement, il me donna l'impression que rien ne pouvait le déranger. Ce repos ne m'était pas absolument obligatoire, mais j'étais intrigué et je voulais en savoir plus. Il fit sortir son troupeau et il le mena à la pâture. Avant de partir, il trempa dans un seau d'eau le petit sac où il avait mis les glands soigneusement choisis et comptés.

Je remarquai qu'en guise de bâton, il emportait une tringle de fer grosse comme le pouce et longue d'environ un mètre cinquante. Je fis celui qui se promène en se reposant et je suivis une route parallèle à la sienne. La pâture de ses bêtes était dans un fond de combe. Il laissa le petit troupeau à la garde du chien et il monta vers l'endroit où je me tenais. J'eus peur qu'il vînt

pour me reprocher mon indiscrétion mais
pas du tout, c'était sa route et il m'invita à
l'accompagner si je n'avais rien de mieux à
faire. Il allait à deux cents mètres de là, sur
la hauteur.

Arrivé à l'endroit où il désirait aller, il se
mit à planter sa tringle de fer dans la terre.
Il faisait ainsi un trou dans lequel il mettait
un gland, puis il rebouchait le trou. Il plantait des chênes. Je lui demandai si la terre
lui appartenait. Il me répondit que non.

Savait-il à qui elle était? Il ne savait pas. Il supposait que c'était une terre communale, ou peut-être, était-elle la propriété de gens qui ne s'en souciaient pas? Lui ne se souciait pas de connaître les propriétaires. Il planta ainsi ses cent glands avec un soin extrême.

Après le repas de midi, il recommença à trier sa semence. Je mis, je crois, assez d'insistance dans mes questions puisqu'il y répondit. Depuis trois ans il plantait des arbres dans cette solitude. Il en avait planté cent mille. Sur les cent mille, vingt mille étaient sortis. Sur ces vingt mille, il comptait encore en perdre la moitié, du fait des rongeurs ou de tout ce qu'il y a d'impossible à prévoir dans les desseins de la Providence. Restaient dix mille chênes qui allaient pousser dans cet endroit où il n'y avait rien auparavant.

C'est à ce moment-là que je me souciai de l'âge de cet homme. Il avait visiblement plus de cinquante ans. Cinquante-cinq, me dit-il. Il s'appelait Elzéard Bouffier. Il avait possédé une ferme dans les plaines. Il y avait réalisé sa vie.

Il avait perdu son fils unique, puis sa femme. Il s'était retiré dans la solitude où il prenait plaisir à vivre lentement, avec ses brebis et son chien. Il avait jugé que ce pays mourait par manque d'arbres. Il ajouta que, n'ayant pas d'occupations très importantes, il avait résolu de remédier à cet état de choses.

Menant moi-même à ce moment-là, malgré mon jeune âge, une vie solitaire, je

savais toucher avec délicatesse aux âmes des
solitaires. Cependant, je commis une faute.
Mon jeune âge, précisément, me forçait à
imaginer l'avenir en fonction de moi-même
et d'une certaine recherche du bonheur.
Je lui dis que, dans trente ans, ces dix mille
chênes seraient magnifiques. Il me répondit
très simplement que, si Dieu lui prêtait vie,

dans trente ans, il en aurait planté tellement d'autres que ces dix mille seraient comme une goutte d'eau dans la mer.

Il étudiait déjà, d'ailleurs, la reproduction des hêtres et il avait près de sa maison une pépinière issue des faines. Les sujets qu'il avait protégés de ses moutons par une barrière en grillage étaient de toute beauté. Il pensait également à des bouleaux pour les fonds où, me dit-il, une certaine humidité dormait à quelques mètres de la surface du sol.

Nous nous séparâmes le lendemain.

L'année d'après, il y eut la guerre de 14 dans laquelle je fus engagé pendant cinq ans. Un soldat d'infanterie ne pouvait guère y réfléchir à des arbres. À dire le vrai, la chose même n'avait pas marqué en moi ; je l'avais considérée comme un dada, une collection de timbres, et oubliée.

Sorti de la guerre, je me trouvai à la tête d'une prime de démobilisation minuscule mais avec le grand désir de respirer un peu d'air pur. C'est sans idée préconçue, sauf celle-là, que je repris le chemin de ces contrées désertes.

Le pays n'avait pas changé. Toutefois, au-delà du village mort, j'aperçus dans le lointain une sorte de brouillard gris qui recouvrait les hauteurs comme un tapis. Depuis la veille, je m'étais remis à penser à ce berger planteur d'arbres. «Dix mille chênes, me disais-je, occupent vraiment un très large espace. »

J'avais vu mourir trop de monde pendant cinq ans pour ne pas imaginer facilement la mort d'Elzéard Bouffier, d'autant que, lorsqu'on en a vingt, on considère les hommes de cinquante comme des vieillards à qui il ne reste plus qu'à mourir. Il n'était pas mort. Il était même fort vert. Il avait changé de métier. Il ne possédait plus que quatre brebis mais, par contre, une centaine de ruches. Il s'était débarrassé des moutons qui mettaient en péril ses plantations d'arbres. Car, me dit-il (et je le constatais), il ne s'était pas du tout

soucié de la guerre. Il avait imperturbable-
ment continué à planter.

Les chênes de 1910 avaient alors dix ans
et étaient plus hauts que moi et que lui.
Le spectacle était impressionnant. J'étais
littéralement privé de paroles et, comme
lui ne parlait pas, nous passâmes tout le
jour en silence à nous promener dans sa
forêt. Elle avait, en trois tronçons, onze

kilomètres dans sa plus grande largeur. Quand on se souvenait que tout était sorti des mains et de l'âme de cet homme, sans moyens techniques, on comprenait que les hommes pourraient être aussi efficaces que Dieu dans d'autres domaines que la destruction.

Il avait suivi son idée, et les hêtres qui m'arrivaient aux épaules, répandus à

perte de vue, en témoignaient. Les chênes
étaient drus et avaient dépassé l'âge où ils
étaient à la merci des rongeurs ; quant aux
desseins de la Providence elle-même pour
détruire l'œuvre créée, il lui faudrait avoir
désormais recours aux cyclones. Il me mon-
tra d'admirables bosquets de bouleaux qui
dataient de cinq ans, c'est-à-dire de 1915,
de l'époque où je combattais à Verdun.

Il leur avait fait occuper tous les fonds où il soupçonnait, avec juste raison, qu'il y avait de l'humidité presque à fleur de terre. Ils étaient tendres comme des adolescents et très décidés.

La création avait l'air, d'ailleurs, de s'opérer en chaînes. Il ne s'en souciait pas ; il poursuivait obstinément sa tâche, très simple. Mais en redescendant par le village, je vis couler de l'eau dans des ruisseaux qui, de mémoire d'homme, avaient toujours été à sec. C'était la plus formidable opération de réaction qu'il m'ait été donné de voir. Ces ruisseaux secs avaient jadis porté de l'eau, dans des temps très anciens.

Certains de ces villages tristes dont j'ai parlé au début de mon récit s'étaient construits sur les emplacements d'anciens villages gallo-romains dont il restait encore des traces, dans lesquelles les archéologues avaient fouillé et ils avaient trouvé des hameçons à des endroits où au vingtième siècle, on était obligé d'avoir recours à des citernes pour avoir un peu d'eau.

Le vent aussi dispersait certaines graines. En même temps que l'eau réapparaissaient les saules, les osiers, les prés, les jardins, les fleurs et une certaine raison de vivre.

Mais la transformation s'opérait si lentement qu'elle entrait dans l'habitude sans provoquer d'étonnement. Les chasseurs qui montaient dans les solitudes à la poursuite des lièvres ou des sangliers avaient bien constaté le foisonnement des petits arbres mais ils l'avaient mis sur le compte des malices naturelles de la terre. C'est pourquoi personne ne touchait à l'œuvre de cet homme. Si on l'avait soupçonné, on l'aurait contrarié. Il était insoupçonnable. Qui aurait pu imaginer, dans les villages et dans les administrations, une telle obstination dans la générosité la plus magnifique ?

À partir de 1920, je ne suis jamais resté plus d'un an sans rendre visite à Elzéard Bouffier. Je ne l'ai jamais vu fléchir ni douter. Et pourtant, Dieu sait si Dieu même y pousse! Je n'ai pas fait le compte de ses déboires. On imagine bien cependant que, pour une réussite semblable, il a fallu vaincre l'adversité; que, pour assurer la victoire d'une telle passion, il a fallu lutter avec le désespoir. Il avait, pendant un an, planté plus de dix mille érables. Ils moururent tous. L'an d'après, il abandonna les érables pour reprendre les hêtres qui réussirent encore mieux que les chênes.

Pour avoir une idée à peu près exacte de ce caractère exceptionnel, il ne faut pas oublier qu'il s'exerçait dans une solitude totale; si totale que, vers la fin de sa vie, il avait perdu l'habitude de parler. Ou, peut-être, n'en voyait-il pas la nécessité?

En 1933, il reçut la visite d'un garde forestier éberlué. Ce fonctionnaire lui intima l'ordre de ne pas faire de feux dehors, de peur de mettre en danger la croissance de cette forêt naturelle.

C'était la première fois, lui dit cet homme naïf, qu'on voyait une forêt pousser toute seule. À cette époque, il allait planter des hêtres à douze kilomètres de sa maison. Pour s'éviter le trajet d'aller-retour, car il avait alors soixante-quinze ans, il envisageait de construire une cabane de pierre sur les lieux mêmes de ses plantations. Ce qu'il fit l'année d'après.

En 1935, une véritable délégation administrative vint examiner la forêt naturelle.

Il y avait un grand personnage des Eaux et Forêts, un député, des techniciens. On prononça beaucoup de paroles inutiles. On décida de faire quelque chose et, heureusement, on ne fit rien, sinon la seule chose utile : mettre la forêt sous la sauvegarde de l'État et interdire qu'on vienne y charbonner. Car il était impossible de n'être pas subjugué par la beauté de ces jeunes arbres en pleine santé. Et elle exerça son pouvoir de séduction sur le député lui-même.

J'avais un ami parmi les capitaines forestiers qui était de la délégation. Je lui expliquai le mystère. Un jour de la semaine d'après, nous allâmes tous les deux à la recherche d'Elzéard Bouffier. Nous le trouvâmes en plein travail, à vingt kilomètres de l'endroit où avait eu lieu l'inspection.

Ce capitaine forestier n'était pas mon ami pour rien. Il connaissait la valeur des choses. Il sut rester silencieux. J'offris les quelques œufs que j'avais apportés en présent. Nous partageâmes notre casse-croûte en trois et quelques heures passèrent dans la contemplation muette du paysage.

Le côté d'où nous venions était couvert d'arbres de six à sept mètres de haut. Je me souvenais de l'aspect du pays en 1913, le désert… Le travail paisible et régulier, l'air vif des hauteurs, la frugalité et surtout la sérénité de l'âme avaient donné à ce vieillard une santé presque solennelle. C'était un athlète de Dieu. Je me demandais combien d'hectares il allait encore couvrir d'arbres.

Avant de partir, mon ami fit simplement une brève suggestion à propos de certaines essences auxquelles le terrain d'ici paraissait devoir convenir. Il n'insista pas. «Pour la bonne raison, me dit-il après, que ce

bonhomme en sait plus que moi. » Au bout
d'une heure de marche, l'idée ayant fait son
chemin en lui, il ajouta : « Il en sait beaucoup plus que tout le monde. Il a trouvé un
fameux moyen d'être heureux ! »

C'est grâce à ce capitaine que, non seu-
lement la forêt, mais le bonheur de cet
homme furent protégés. Il fit nommer trois
gardes forestiers pour cette protection et il
les terrorisa de telle façon qu'ils restèrent

insensibles à tous les pots-de-vin que les bûcherons pouvaient proposer. L'œuvre ne courut un risque grave que pendant la guerre de 1939. Les automobiles marchant alors au gazogène, on n'avait jamais assez de bois. On commença à faire des coupes dans les chênes de 1910, mais ces quartiers sont si loin de tous réseaux routiers que l'entreprise se révéla très mauvaise au point de vue financier. On l'abandonna. Le berger n'avait rien vu. Il était à trente kilomètres de là, continuant paisiblement sa besogne, ignorant la guerre de 39 comme il avait ignoré la guerre de 14.

J'ai vu Elzéard Bouffier pour la dernière fois en juin 1945. Il avait alors quatre-vingt-sept ans. J'avais donc repris la route du désert, mais maintenant, malgré le délabrement dans lequel la guerre avait laissé le pays, il y avait un car qui faisait le service entre la vallée de la Durance et la montagne. Je mis sur le compte de ce moyen de transport relativement rapide le fait que je ne reconnaissais plus les lieux de

mes premières promenades. Il me semblait aussi que l'itinéraire me faisait passer par des endroits nouveaux. J'eus besoin d'un nom de village pour conclure que j'étais bien cependant dans cette région jadis en ruine et désolée. Le car me débarqua à Vergons.

En 1913, ce hameau de dix à douze maisons avait trois habitants. Ils étaient sauvages, se détestaient, vivaient de chasse au piège ; à peu près dans l'état physique et moral des hommes de la préhistoire. Les orties dévoraient autour d'eux les maisons abandonnées.

Leur condition était sans espoir. Il ne s'agissait pour eux que d'attendre la mort : situation qui ne prédispose guère aux vertus.

Tout était changé. L'air lui-même. Au lieu des bourrasques sèches et brutales qui m'accueillaient jadis, soufflait une brise souple chargée d'odeurs. Un bruit semblable à celui de l'eau venait des hauteurs : c'était celui du vent dans les forêts. Enfin, chose plus étonnante, j'entendis le vrai bruit de l'eau coulant dans un bassin. Je vis qu'on avait fait une fontaine, qu'elle était abondante et, ce qui me toucha le plus, on avait planté près d'elle un tilleul qui pouvait déjà avoir dans les quatre ans, déjà gras, symbole incontestable d'une résurrection.

Par ailleurs, Vergons portait les traces d'un travail pour l'entreprise duquel l'espoir est nécessaire. L'espoir était donc revenu. On avait déblayé les ruines, abattu les pans de murs délabrés et reconstruit cinq maisons. Le hameau comptait désormais vingt-huit habitants dont quatre jeunes ménages. Les maisons neuves, crépies de frais, étaient entourées de jardins potagers où poussaient, mélangés mais alignés, les légumes et les fleurs, les choux et les rosiers, les poireaux et les gueules-de-loup, les céleris et les anémones. C'était désormais un endroit où l'on avait envie d'habiter.

À partir de là, je fis mon chemin à pied. La guerre dont nous sortions à peine n'avait pas permis l'épanouissement complet de la vie, mais Lazare était hors du tombeau.

Sur les flancs abaissés de la montagne, je voyais de petits champs d'orge et de seigle en herbe; au fond des étroites vallées, quelques prairies verdissaient.

Il n'a fallu que les huit ans qui nous séparent de cette époque pour que tout le pays resplendisse de santé et d'aisance. Sur l'emplacement des ruines que j'avais vues en 1913, s'élèvent maintenant des fermes propres, bien crépies, qui dénotent une vie heureuse et confortable. Les vieilles sources, alimentées par les pluies et les neiges que retiennent les forêts, se sont remises à couler. On en a canalisé les eaux. À côté de chaque ferme, dans des bosquets d'érables, les bassins des fontaines débordent sur des tapis de menthe fraîche. Les villages se sont reconstruits peu à peu.

Une population venue des plaines où la terre se vend cher s'est fixée dans le pays, y apportant de la jeunesse, du mouvement, de l'esprit d'aventure. On rencontre dans les chemins des hommes et des femmes bien nourris, des garçons et des filles qui savent rire et ont repris goût aux fêtes campagnardes. Si on compte l'ancienne population, méconnaissable depuis qu'elle vit avec douceur et les nouveaux venus, plus de dix mille personnes doivent leur bonheur à Elzéard Bouffier.

Quand je réfléchis qu'un homme seul, réduit à ses simples ressources physiques et morales, a suffi pour faire surgir du désert ce pays de Canaan, je trouve que, malgré tout, la condition humaine est admirable. Mais, quand je fais le compte de tout ce qu'il a fallu de constance dans la grandeur d'âme et d'acharnement dans la générosité pour obtenir ce résultat, je suis pris d'un immense respect pour ce vieux paysan sans culture qui a su mener à bien cette œuvre digne de Dieu.

Elzéard Bouffier est mort paisiblement en 1947 à l'hospice de Banon.

L'auteur

Jean Giono est né le 30 mars 1895 à Manosque en Haute-Provence. Son père, italien d'origine, était cordonnier, sa mère, repasseuse. Après des études secondaires au collège de sa ville natale, il devient employé de banque jusqu'à la guerre de 1914, qu'il traverse comme simple soldat. En 1919, il retourne à la banque. En 1920, il épouse une amie d'enfance, Élise. Ils auront deux filles, Aline et Sylvie. Lorsqu'en 1930 la banque qui l'emploie ferme sa succursale de Manosque et lui offre une situation ailleurs, il choisit de refuser la proposition et de se lancer dans la littérature. Il fut aussi historien et scénariste.

Dans l'œuvre de Giono, la nature tient une grande place. Il a toujours aimé les arbres. Enfant, il allait se promener en compagnie de son père, et tous deux emportaient dans leurs poches des glands qu'ils plantaient dans la terre à l'aide de leur canne, tout en espérant qu'ils deviendraient, un jour, de superbes chênes.

Jean Giono est mort le 9 octobre 1970.

L'illustrateur

Olivier Desvaux vit et travaille sur les bords de la Seine, en Normandie. Sa fascination pour la nature et la lumière l'a conduit naturellement vers la peinture. Après son diplôme des Arts déco de Paris en 2006, il est parti à la conquête de la peinture en plein air. Il a voyagé à travers le monde avec son sac à dos et son chevalet. De son temps passé à illustrer ce recueil, voici ce qu'il nous confie :

« Illustrer *L'homme qui plantait des arbres* a été pour moi une invitation à découvrir et à peindre la Haute-Provence. J'ai donc séjourné plusieurs jours dans la montagne. J'ai emprunté les sentiers avec mon chevalet et ma peinture à l'huile, les sens en éveil, à la recherche d'Elzéard Bouffier. J'ai peint les arbres, les pierres, la nature, les villages… Je me suis imprégné de cette magnifique lumière du pays de Jean Giono. »

Du même auteur

Le petit garçon qui avait envie d'espace
illustré par François Place

Le petit garçon se promène avec son père, mais les haies qui bordent le chemin l'empêchent de voir le paysage. Son père l'emmène alors au moulin, à la ruche, dans l'atelier du forgeron. Le soir venu, ses rêves le conduisent au pied d'un arbre. Il grimpe tout en haut puis s'envole, libre comme un oiseau…

Retrouve d'autres
belles histoires

————

La patte du chat
de Marcel Aymé illustré par Roland et Claudine Sabatier

En jouant dans la cuisine, Delphine et Marinette
cassent un plat en faïence très précieux. Pour les punir,
les parents décident de les envoyer chez la méchante
tante Mélina, dès le lendemain, s'il ne pleut pas.
Pour éviter la punition à ses petites maîtresses, le chat
passe la patte derrière l'oreille en faisant sa toilette.
Il attire la pluie… et la colère des parents.

————

Petits contes nègres pour les enfants des Blancs
de Blaise Cendrars illustré par Jacqueline Duhême

Connais-tu les histoires qu'écoutent les enfants d'Afrique ?
Sais-tu d'où vient le vent ou ce que chantent les souris ?
Veux-tu suivre le petit poussin qui va voir le roi et
découvrir les mauvais tours de l'oiseau de la cascade ?
Ces contes étonnants, pleins de malice et de sagesse,
Blaise Cendrars le poète va te les raconter…

————

Voyage au pays des arbres
de J. M. G Le Clézio illustré par Henri Galeron

Un petit garçon qui s'ennuie et qui rêve de voyager
s'enfonce dans la forêt, à la rencontre des arbres.
Il prend le temps de les apprivoiser, surtout le vieux
chêne qui a un regard si profond. Il peut même les
entendre parler. Et quand les jeunes arbres l'invitent
à leur fête, le petit garçon sait qu'il ne sera plus
jamais seul.

————

Contes pour enfants pas sages
de Jacques Prévert illustré par Laurent Moreau

Une autruche qui mange les cailloux du Petit Poucet,
des antilopes mélancoliques, un dromadaire que l'on
traite de chameau, un jeune lion qui se fâche avec le
dompteur et des ânes qui prennent les hommes pour
ce qu'ils sont. Ainsi va le monde pas sage du tout
de Jacques Prévert.

——

Pierrot ou les secrets de la nuit
de Michel Tournier illustré par Danièle Bour

Pierrot le boulanger aime Colombine, son amie
d'enfance, sa jolie voisine. Colombine est blanchisseuse
et travaille le jour. Petit à petit, elle se lasse de cet
amoureux qui travaille pendant que les autres
dorment. Passe Arlequin, le peintre aux couleurs
de l'arc-en-ciel…

——

Comment Wang-Fô fut sauvé
de Marguerite Yourcenar illustré par Georges Lemoine

Voici l'histoire d'un vieux peintre chinois du nom
de Wang-Fô. Il peignait si bien que ses tableaux étaient
magiques. Malgré cela, Wang-Fô était très pauvre, car
il donnait ses peintures en cadeau ou les échangeait
contre un bol de riz. Un jour, cependant, l'empereur
le convoqua en son palais, pour le menacer d'un
terrible châtiment, lui, le vieux maître qu'il admirait
tant…

——

Maquette : Karine Benoit

ISBN : 978-2-07-509266-1
N° d'édition : 434818
Loi n°49-956 du 16 juillet 1949
sur les publications destinées à la jeunesse
Premier dépôt légal : mai 2001
Dépôt légal : mars 2022
Imprimé en Espagne par Novoprint (Barcelone)

PEFC PEFC/14-38-00277